Mae'r llyfr hwn yn eiddo i

_____

I Olivia Grace, gyda chariad ~ M C B

I 'Nhad, Alan R Macnaughton ~ T M

Cyhoeddwyd gyntaf ym Mhrydain yn 2006
gan Little Tiger Press, argraffnod Magi Publications,
1 The Coda Centre, 189 Munster Road, Llundain SW6 6AW
www.littletigerpress.com dan y teitl *One Winter's Day*

Cyhoeddwyd gyntaf yng Nghymru yn 2009 gan
Wasg Gomer, Llandysul, Ceredigion SA44 4JL
www.gomer.co.uk

ISBN 978 1 84851 081 4

Dymuna'r cyhoeddwyr gydnabod cymorth
Adrannau Cyngor Llyfrau Cymru.

Argraffwyd yn China.

Un Diwrnod Oer

M Christina Butler

Lluniau Tina Macnaughton

Addasiad Sioned Lleinau

Gomer

Roedd Draenog Bach wrthi'n paratoi ei wely ar gyfer y gaeaf pan ddaeth chwa o wynt a'i chwythu i'r llawr. Taflwyd ei nyth glyd o ddail hefyd yn uchel i'r awyr.

Dechreuodd Draenog Bach grynu wrth i'r gwynt chwibanu o'i gwmpas. Beth oedd e'n mynd i'w wneud?

Cydiodd yn ei sgarff a'i fenig cyn i'r rheini gael eu chwythu i ffwrdd a cheisio cysgodi yng nghanol gwreiddiau'r goeden. Ond roedd y gwynt yn chwythu yno hefyd.

'Mae'n siŵr y bydd croeso i mi yn nhŷ Mochyn Daear
nes i'r storm dawelu,' meddyliodd o'r diwedd gan
dynnu ei het wlanog i lawr yn dynn dros ei bigau.
Gwisgodd ei sgarff a'i fenig cynnes cyn cymryd
anadl ddofn a dechrau ar ei daith.

Roedd y gwynt yn chwythu'n waeth
ar y ddôl. Chwyrlïai'r dail dros y lle
a dechreuodd yr awyr lenwi ag eira.

Ar hynny, daeth Draenog Bach
ar draws teulu o lygod bach yn crynu
yn y borfa hir.

'Welais i erioed storm fel hon!' gwichiodd Mami
Llygoden. 'Mae'r gwynt wedi difetha ein nyth
ac mae fy llygod bach i'n teimlo'n oer iawn.'

'Mae 'nghartre i wedi ei ddifetha hefyd,'
meddai Draenog Bach. 'Rydw i ar fy ffordd i dŷ
Mochyn Daear, ond mae gen i syniad!' Tynnodd
ei het wlanog a'i rhoi i'r llygod bach i'w cynhesu.

'O! Bendigedig,' gwichiodd y teulu bach
wrth gysgodi'n glyd yn yr het.
'Diolch, Draenog Bach!'

Tynnodd Draenog Bach ei sgarff yn dynn am ei drwyn cyn rhuthro ar hyd glan yr afon fyrlymus. Roedd Dwrgi ar y lan yn ceisio cadw'i bawennau'n gynnes.

'Helô, Dwrgi! gwaeddodd Draenog Bach. 'Sut wyt ti?'

'O helô, Draenog Bach,' atebodd Dwrgi. 'Mae fy ffwr i'n fy nghadw i'n gynnes ond mae fy mhawennau i'n rhewi!'

'Wel, gwisga'r menig yma,' meddai Draenog Bach. 'Fe fydd y rhain yn siŵr o helpu!'

'O, diolch Draenog Bach!' meddai Dwrgi. 'Maen nhw'n fendigedig! Ond beth wyt ti'n ei wneud allan yn y fath dywydd?'

'Mae'r gwynt wedi difetha fy nghartre. Dyna pam dw i'n mynd i aros gyda Mochyn Daear.' Ac ymlaen ag ef ar ei daith.

Erbyn i Draenog Bach gyrraedd y goedwig roedd
yr eira'n drwchus ar lawr. Doedd dim amdani
ond brwydro drwy'r lluwchfeydd a'r gwynt cryf
oedd yn chwipio popeth o'i amgylch.

Roedd ewig a'i charw bach yn cysgodi yn y coed gerllaw.

'O Draenog Bach, beth wyt ti'n ei wneud allan mewn storm mor ofnadwy?' holodd Mrs Ewig.

Dyma Draenog Bach yn dechrau adrodd ei stori drist. Wrth wneud hynny, gallai weld y carw bach yn crynu yn yr oerfel.

'Edrych, cymer hon,' meddai, gan estyn ei sgarff i'r carw bach.

'Rwyt ti'n garedig iawn,' meddai Mrs Ewig. 'Diolch yn fawr, Draenog Bach.'

I ffwrdd â Draenog Bach, gan fynd yn gynt. Ond
wrth iddo gyrraedd tŷ Mochyn Daear o'r diwedd, fe
lithrodd ar iâ a rholio'n belen i lawr y llethr.

'Help!' gwaeddodd wrth iddo droi a throi yn
yr eira.

Roedd Mochyn Daear wrthi'n paratoi te pan glywodd GLEP! y tu allan. 'Beth yn y byd oedd hwnna?' holodd wrth neidio ar ei draed.

Pan agorodd y drws, dyma belen eira fach bigog yn rholio i mewn. 'Hawyr bach!' meddai'n syn. 'Draenog Bach, ti sy 'na?'

Dyma Mochyn Daear yn cario Draenog Bach
i gadair esmwyth ger y tân a rhoi te poeth iddo'i
yfed. Yna, dyma Draenog Bach yn sôn wrth
Mochyn Daear am ei daith drwy'r storm cyn
syrthio i gysgu'n gynnes braf o flaen y tân.

Wedi i'r storm dawelu aeth Mochyn Daear â
Draenog Bach tuag adref. Roedd Draenog Bach yn
teimlo'n ofnus. 'Sut alla i adeiladu nyth newydd os yw'r
dail a'r brigau wedi eu chwythu i ffwrdd i gyd yn y
gwynt?' holodd yn ddigalon.

'Paid â phoeni,' meddai
Mochyn Daear yn garedig.
'Fe gei di help.'

'Syrpréis!' oedd y gri wrth i'r ddau ffrind fynd rownd y gornel. 'O, mae'n wych!' ebychodd Draenog Bach wrth weld bod ei ffrindiau wedi adeiladu'r nyth fwyaf clyd a welodd erioed.

'Ar gyfer y draenog mwyaf caredig yn y byd!' meddai pawb ag un llais.